タイ …… 125
ミャンマー …… 133
ネパール …… 141
インド …… 149
跋文　自転車から見るアジア　栗木京子 …… 159
旅の終わりに …… 166

澁谷義人歌集

アジア放浪

自転車を組み立てる手が震えだす出発前夜の華僑の旅館

中国・内蒙古

浮き雲が空にすーと吸い込まれモンゴル高原は天に近い地

草原のわだちを頼りにペダル踏む「走れば道」と言い聞かせつつ

旅行者のたづなさばきに微笑んで少女声出し馬走らせる

着古した人民服の男らが「日本人《リーベンレン》」とはやして集う

羊追いに煙草をやれば会話無き二人の間に煙の立ちぬ

ざぶざぶと顔を洗う旅行者を沙漠の民はじっと見ている

雲を追い北へ走れば外蒙古はるか一筋わだちが続く

透き通る白のブラウスの少女笑みロシア語の本胸にしまえり

漆黒の空を流れる天の川馬頭琴の音大地に響く

草原の日干し煉瓦の村を行く雨に濡れれば溶けそうな村

川あれば担いで渡るモンゴルのサイクリングに羊続きぬ

草原のどこから来たのか羊連れ青き瞳の二人の少女

「空《くう》」という世界はこんなものなのか草原走る一本の道

大空とゴビの大地が朱に染まり湧くがごとくに星が生まれる

馬頭琴を奏でる男は草原に沈む夕陽を光背とする

草原という名の球の一点に我は立ちおりモンゴルの朝

モンゴルの夜露に濡れし草原を馬駆け回る宴の翌朝

新郎が杯掲げれば馬乳酒のしずく大地に吸い込まれゆく

赤土の蕎麦の畑のあらわれて漢族の住む村はすぐそこ

中国・東北部（旧満州）

アカシアの新芽に結ぶ朝露に映る老婆が赤牛を引く

霧の中桃を積んだ荷車が現れ消える遼寧の街

満州の日露戦跡は意外にも中国人の客であふれる

二百三高地の展示は希典を反動侵略の罪人とする

水師営会見所跡の屋根の草は等間隔に植えられている

古本の満州地図に書き込まれし「大連高女」のインクがにじむ

旅人に金を要求する子らが参道ふさぐ孔子廟前

「局員の接遇は可か評価せよ」利用者われはボタン押さねば

ビニールも瓦も石も埋め込んで道路工事が真夜まで続く

領事館の門衛二人がわがカメラを指差し怒る瀋陽の町

言われたり「日本鬼子《リーベンクイズ》」平頂山虐殺現場を足早に去る

老婆らに「日本人《リーベンレン》」と指差され心落ち着かぬ収容所跡

戦犯の土下座の写真を女学生われをつかまえ説明しだす

旧皇帝の戦犯服の展示あり愚か哀れむべき人として

片言の日本語話す悪役の日本軍人今日も画面に

警察の姿を気にせず道渡る老婆は文革も生き抜いてきた

馬さんの豆腐売る声まだ暗い昆明西路の路地まで響く

偽金を見破る機械の音がやみフロントト我を客として扱う

子を連れてリヤカーをひく豆腐屋は声が自慢か高音伸ばす

七日間走れどひたすらトウキビの緑輝く満州の夏

トウキビを収穫のとき吉林の全労働者は畑に出るや

饅頭の肉汁こぼし豆乳を飲みつつ男ら職場に向かう

豆腐売る男のあとに豆腐売る女の声する古街の朝《あした》

休憩時着信履歴を確認の吉林大の軍事訓練

寝台の切符求めても首を振り「没有《メイヨウ》」「没有」売ってくれない

大連の唐先生より来た手紙秋天うるわし日本はいかがと

中国・新疆ウイグル自治区

出発を明日に控えて武者震い真夜まで明るいウルムチの空

「友好」の襷をかければウイグルの青き瞳が我を見つめる

唯一の泉に住むはカザフ人ソ連国境まで五百キロ

ビチビチとコールタールが溶け出してタイヤに粘るトルファンの道

灼熱のタクラマカンで迷えども尋ねる人も鳥さえいない

晩支度のウイグルの家訪ねれば旅人われを青い目が追う

灼熱の沙漠に実るぶどう棚ウイグルの子にコーラン響く

漢族の開拓村はまっすぐなポプラ並木が井戸に通じる

腹痛と発熱続けど灼熱の大地を進まんあと二百キロ

瞳濃いタジク族が胡椒売るアザーンに負けぬ高い声にて

交脚の弥勒菩薩の前に立つ仏と我の窟での時間

バザールで支払う札にも毛主席、ヒジャブの女が羊求める

炎天下沙漠に落としたわが汗の染みた黒点すぐに消えたり

オアシスの村は夜半まで踊るらし瞳濃き男酒も飲まずに

このあとは村の男と消えるのか娘らひたすら陽気に踊る

凹凸は城壁の跡道の痕交河故城は夕映えの中

タクラマカン沙漠の真中のオアシスに駅のあるらし列車の止まる

西域の乾いた町から出す便りにパンクの数と気温を記す

ブドウ棚で休む異国の旅人に子らの飛び来る土煙上げ

馬が行き駱駝が渡りバスが出る沙漠をつらぬくアスファルト道

絵葉書を書く手を休めて茶を飲めばアザーンの声が背中に響く

タクラマカン沙漠に浮いた塩分を集め担ぎぬウイグルの子ら

オアシスの子の歓声を受けながらペダル踏み込む敦煌はすぐ

銀輪で黄河見下ろす峠越え花柄模様の砂糖を食べる

百元で彩文土器が売られたり博物館の改革開放

中国・江南

血しぶきを避けるごとくに身を反らす壁画に処刑を見た邦人は

日本の兵士が刀を振り下ろす絵から少女は目を離さない

路地で食べ路地で話して夜を過ごす夏の南京老婆も子供も

長江に沿って走れば回族が白き帽子で我に手を振る

日本より来たと三回繰り返し閉門時刻に参詣できたり

唐代の塔に白雪降り止まぬ鑑真の故地揚州の寺

多羅葉の葉裏に枝で経刻む僧の目すずしい長江の寺

白壁が運河に映える旧市街道行く老婆に牡丹雪降る

橋上の子らに手を振り赤銅の男船にて身体を洗う

渋滞の凍てつく道の先行けばロバの荷車前へ進めず

中国語で「わからない」を繰り返すわれを真似する女性給仕ら

「銭はいい、よく来てくれた」と握手する北方料理の眼鏡の主人

立ち食いの麵売る娘のブラウスに二頭の蝶の舞いつづけたり

新築のマンション映る大運河緋鯉の群がドロかき上げる

人糞を担ぐ女の大声が紹興運河を渡り響きぬ

魯迅《ルーシュン》の生家訪ねる人が笑む彼の使いし小さな机に

唐代の運河に並び立つ工場黒い煙を競い吐き出す

幼児を背負い庭掃く墓守が最後の越王の話をやめず

北京語に続いて英語のコールの後上海行きのバスが出て行く

車との阿吽の呼吸で道渡る上海人は何食わぬ顔で

マンションの守衛はコートの襟たてて小皇帝の登校見守る

コオロギの勝負に群がる老人の「勝利」「勝利」の魯迅老園

太極拳の男三人ゆっくりと腕を伸ばせば初雪の降る

渋滞の南京西路を豆腐屋は歯を食いしばりリヤカーを引く

「社会主義が好きなんだ」という看板の旅館に泊まる雪の上海

「センエン」の声が響く免税店虹橋空港今秋移転す

中国・広東

筋肉をわずかばかりの布で隠し人民自転車が仕事に向かう

ニワトリのハラワタ引き出す右手にてほつれ毛直し少女微笑む

「笑福」の札も震える爆竹のとどろく村の春節の夜

道端のコンクリートの落書きが五言絶句で花鳥をうたう

尋ねれば英語北京語韓国語で答が返る大学寮前

食材屋電器問屋の忙しげアヘン戦争の激戦の村

傾いた机に欠けた碗を出す広東娘の満面の笑み

ニワトリを骨ごとぶち切る甲高い女の声が市場に響く

亀カエル豚足ホルモン犬に猫、清平市場で食材となる

熱湯に猫をつけては毛をむしり女は籠に重ねつめたり

割高の日本製品が良く売れる旧居留地の夜半のコンビニ

広東語の大きな声の問答をさえぎる壁がこの宿にない

未解放地区に迷えば銃口を突きつけられる特区深圳

乳飲み子と大きなバッグを抱え寝る「盲流」あふれる広州の駅

革命の烈士の墓に礼をする解放軍の若き兵士は

十元の漢の刀貨は本物か　疑うわれを路商窺う

中国・雲南

雲南の赤土走る一本の道あり田畑も家も傾く

上り坂に苦戦すればその後ろ追いかけてくる白族《ペー》の子ら

朝日射す井戸に村人集まりて生きた黒豚に刀を入れる

回族の若き娘が振り向けばおけの人糞陽気に跳ねる

菜の花が天まで届く峠道額の塩をなめて休まん

赤土が乾ききった高原のイ族の村で水を求める

昆明はどちらの道かと尋ねればイ族の老人駅を指さす
トラックの黒い排ガスが肺に入る昆石公路の長い坂道
赤銅の農夫市場で野菜売り生きたニワトリ手にして帰る

「清真」と書かれた店の白帽子我に会釈し羊をさばく

明代の煉瓦を積みし城門を鬼が支える昆明の街

両膝に汗を落としてペダル踏むタイヤめり込む赤土の道

花柄の乾いたパンでビール飲む昆明の西　安宿一人

リス族の衣装の娘の給仕受け正体分からぬ肉をほおばる

肩に付く名も知らぬ虫を相棒に風に真向かいペダル踏み込む

純白のチャドルを夕陽の朱に染めて少女はしゃぎぬ中学校前

一坪の畑に老婆が種を蒔く村を見下ろす山上の畑

山の端より出でし青月凛として塡湖の水面を静かに照らす

水タバコ大きく吸いし長老が儀式を前に咳払いする

白族のトンパ文字読む老ガイド絵文字の由来を体で示す

モスク前白い帽子の子どもらを路肩に押しやり水牛の行く

中国・海南島

サトウキビをくわえた女が肉さばき鶏頭まとめてバケツに投げる

椰子の木が並ぶ小道のその奥にモスクの尖塔青空を刺す

「天涯」と刻む巨石の前に立ち女右手で髪なで上げる

連結の音響かせて夕映えの影絵となりぬ常夏の駅

竹かごが肩に食い込む苗族《ミャオ》の女両手でカメラさえぎる

水牛にムチ入れ代かき終えた後編み傘とれば少女の笑顔

一人っ子を抱く母親はそれぞれに頬ずりをして園を後にす

製糖の大工場より流れ出る濁りし水を農大田に引く

台湾

日本語の落書き見つける台北の旧帝大の古き講堂

「鉄道は日本人がつくった」とタバコの李さん駅を指さす

陳さんを「キヨ子ちゃん」と呼ぶ老も漢字の読めぬ「山の人」なり

「お似合いだ」　我と娘を冷やかして旧日本軍人笑って去りぬ

食堂で突然始まる日台の大宴会にテレサを歌う

円卓に迎えてくれた李さんは国民学校の思い出語る

パソコンを打つ駅員が唾吐けば土にしみ込む檳榔《びんろう》の赤

丸々と太りし漢方の薬剤師日本語交えて薬効を説く

ベッピンを見たら元気になったという王おじさんは明治の生まれ

サイクリング予定のコースのトンネルは長く暗いと情報のあり

家形の墓が山まで埋め尽くす東北角海岸雨雲迫る

丁寧語尊敬謙譲使い分け日本時代を女将は語る

下着まで濡らしてペダルをこぎ進むスコールなんか負けるか台湾

戦いを青春として語りだす高砂義勇隊元軍属は

苔むした日本時代の狛犬は市民広場の彫刻となる

李さんは咳一つして戦前の日本精神語りだしたり

終戦後初の外人客となるパイワン族の山の学校

漢人かと聞けば否定しタイワニーズと胸を張りたり若い男女は

天皇の戦争責任追及の女子大生のまなざし受ける

正成《まさしげ》と正行《まさつら》のこと話す時鄧さん若き皇国民なり

警官がジュースも肉も販売する台東懸大武分局森永派出所

さびついたトーチカの中キャラメルの空箱ころがる海峡の町

十年前の前田明のプロレスが放映される最南の宿

黄の紙を燃やしながら三人の媼の祈るアミ族の村

騒音と黒い排ガスにめまいする貿易特区の高雄の港

美人顔「韓国整形」の看板がビルに輝く高雄駅前

韓国

日本人だから嫌いだから好き激しい語気にわれ身構える

軍人が女と腕組むソウル駅は東京駅にとても似ている

南大門《ナンデモン》で一緒に飲んだ女学生日本のドラマにわれより詳しい

母なる河漢江臨む新ビルはサンシャインより三階高い

赤牛が百済の歴史をはんでいる朝霧深い公州の河

反共の戦死碑の横　倭の国に仏教伝えし王の碑の立つ

古都扶余の五重の塔は近江国石塔寺の塔そのものである

一押しのみやげ物だとハルモニは人形握り踊る真似する

白い服で神を信ぜよと大声を出し続けている大田駅前

緑濃き古墳の谷間に人が住む千年の古都新羅慶州

清正《きよまさ》がここより逃げたと説明は英語とハングル、日本語はない

トロ箱を積むハルモニの二の腕に鰯の鱗が輝いている

唐辛子くわえて子のこと老のことオモニの会話が市場に満ちる

白い歯のオモニよく食べよく笑うチャガルチ市場のせりの合間に

霧雨に濡れる大きな将軍像日本に向かい仁王立ちする

雅子妃とのご成婚を講釈の釜山デパートの主の饒舌

国連軍墓地の守衛は定刻前わが入場を笑顔で阻止する

韓国・済州島

抗日の像の男女は目を開き拳を握り吹雪受けてる

宋さんはガイドの合間に自説入れわが顔色をうかがっている

抗日の記念館にも大小のトルハルバンが和やかに立つ

大阪で稼ぎ嫁取り離婚した金さん笑って焼肉を食う

白菜が山と積まれし石の家夕陽を浴びて丸くなりゆく

英語にて値引き求めれば「そりゃむりや」元在日のホテルの主人

男根と女印の石に頭下げ祈る老婆を夕映え包む

ハルラ山の峠めざして急勾配吹雪に逆らいペダル踏みこむ

猛吹雪に凍えたわれを濃厚なプルコギじわっと解きほぐしゆく

乾物屋のオモニが声上げ高笑いスルメ十枚われに突き付け

唾が出るメニューの写真の赤い色、ユッケ、カルビタン、プルコギ、ビビンバ

腕まくりで魚をさばくオモニらの甲高き声市場に響く

激辛に手をこまねいてるわが顔を市場の子らが指差し笑う

雨風と李朝、日本に耐えてきた済州島の低い住宅

我が匙の使い方を話題にしチョゴリの女生徒笑い出したり

ハルモニは赤唐辛子三本をそっと添えたりわがビビンバに

食卓のキムチに唾の出るわれは旅の終わりに韓族になる

インドネシア

捻挫せし我が右足を守りたまえ　白いテープとバリの神々

青年が腰をかがめてほうき掃く神の降りたるケチァの翌朝

ササックの部落をガイドの少年は村で唯一人英語を話す

先生になる夢語る少年を南の夕陽が紅く染めゆく

ドッカルという馬車に乗る親子らが大きく手を振るロンボクの村

花柄の飾りが寺を埋め尽くす神と仏の暮らすバリ島

タバコ吸う長老黙って手招いて旅行者われを寺院に入れたり

虹渡る空に木の鍬を振り上げて半裸の農夫が棚田を打てり

深夜二時自死せし友を思い出すインド洋の潮騒の宿

ナシゴレンとナシチャンプルは千ルピア三千ルピアのコーラにためらう

寺守は円弧を描くように掃く腰をかがめて息吐きながら

小刀を足に巻かれし軍鶏の蹴りは鋭く鮮血の飛ぶ

闘いし鶏の流した血に染まりヒンズー寺院の祈り始まる

額ほどの棚田を耕す赤牛に日焼けの男が鞭を入れたり

スコールを受けてしずくを落としつつ立ち漕ぎ続ける聖山へ向け

ベトナム

宝くじを売る少年の声響き赤銅の陽がメコンに落ちぬ

物乞いの小さな少女力込めわが手わが脚自転車つかむ

砂運ぶ道路工夫のアオザイの女微笑むカメラ向ければ

ざんばらの髪の妊婦が子を連れてわが食べ残しを黙して待ちぬ

わが足にまとわりついて離れない枯葉剤禍の手足なき子ら

男根を模した石柱に刻まれる微笑むごとき顔の女神が

土煙の巻き上がる街にアオザイの女子学生の歌声響く

水滴が作る輪しだいに広がりて夕映え濃くなる大河の港

泥色の河が夕陽に染められて村の渡しに物売りの声

闇の中メコンに映る月揺らしアオザイの子の渡し出で行く

盲目の母親連れて物乞いの男児に真向かうことができない

川魚をさばくその手の止まりたり小船で暮らす女われ見て

フォーの味店の娘の笑顔など手帳に記し午後の出発

鳴き声と鶏肉さばく包丁の音交じり合うカントーの市

バルコニーに眠れぬままに朝迎え大河の船の出漁ながむ

道端のたらいで売られる大鯉がメコンのドロをグォッと吐けり

「大安《だいやす》」の広告つけた中古バスけむり巻上げデルタを走る

行き先の「平安神宮」そのままのバスがわが肩かすり追い越す

船上で暮らす少女が髪濡らしすき上げ束ねて二度絞りたり

橋上より川に飛び込む子どもらの性器ゆしずくが輝き落ちる

戦いの正義不正義に疲れ果て収容所跡を白人の出る

ベトナムには詳しい地図はありません書店の娘の深く謝る

フランスパンを抱えて帰る女生徒のアオザイの白が夕陽に染まる

夕焼けがサイゴン川をおおう時孤児《みなしご》たちの争いの声

タイ

ドラえもんナウシカポケモンタマゴッチ「日本」が占めるチェンマイの街

バス停の老婆はビニール袋より飯をつまんで食べ始めたり

頭なき坐像の仏三百が朝日に向かい背筋を伸ばす

僧院の淡き木漏れ日背に受けて少年僧の托鉢に出る

御仏は印を結んで微笑めり朝霧はれた古都スコータイ

朝もやが晴れれば一人の修行僧寝釈迦の耳に読経しており

灼熱の陽を背に受ける僧一人読経終え出る　沈黙の寺

修行僧に米と野菜を差し出して男は膝つき経に聞き入る

黄の衣まといて辞儀を繰り返す夜の明けやらぬ村の僧院

炎天下三本足の犬が来て身体休める土の寺院に

長政の像を囲む花びらが紅競うアユタヤの朝

白黒の二時間早い「紅白」で年越しをする華僑の旅館

正装の国王一家の絵を背にし若き駅員キーボード打つ

ミャンマー

祝祭日ヤンゴンの夜は闇の中サッカー遊びの目だけが光る

ストレスもこの世の悪も包み込む寝釈迦の足は十七メートル

電飾の点滅続ける仏像に老婆の祈るスーレーパゴダ

日本兵の黒い位牌を見つけたり摂氏四十度ヤンゴンの寺

少年の追う三百のヤギの群れがわが自転車の行く手を阻む

日本軍に追い詰められし英軍が破壊せし橋を銀輪で行く

バガンへの道を尋ねれば老若の議論始める砂ぼこりの街

牛が乗りバイクと車が乗り込めば筏はゆっくり岸を離れぬ

ミャンマーの乾いた大地の仏塔に巻きスカートの男の座る

物言わぬ大きな男が荷を担ぐ赤銅の肩にドンゴロス掛け

金箔を老婆がさらに重ねれば仏の顔の少し微笑む

山の端の紫濃くなり七百のパゴダの生《あ》れる夜明けのバガン

寺院より黄色い衣が続き出る乾いた大地の夜の明ける頃

満天の星降る村にバス止まり旅人四肢をゆっくり伸ばす

壁を手で探りつつ入る水の風呂　一ドルの宿に電気なければ

まがい物の軍票を売る幼子が澄んだ瞳で旅人探す

闇の中犬の遠吠えだけ聞こゆヤンゴン行きのバスの止まれば

ネパール

「おはよう《ナマステ》」の少女のあいさつ響き合う村にひとつの井戸の水汲み

サンダルのポーターふたりただ黙し体操座りでわが用を待つ

日暮れ時ポーターたちはただ座りヒマラヤの土に同化していく

ポーターの焼くナンの香がヒマラヤの小さな村に満ちる夜の明け

ヒンズーの聖地をめざす老婦人身を投げ出して三尺進む

活仏《かつぶつ》の歳は九つ窓をあけ少し顔見せ闇に消え行く

人は牛を牛は人間を意識せず霧の中行くパタンの寺院

男根のいきり立ちたるレリーフの柱の下で少女ら手編みす

旅行者を探し出しては手をそろえ三人姉妹は「ルピー」「ルピー」と

白人の男女ささやき抱擁す経文はためくラマの寺院で

性交の極彩色の彫刻で埋め尽くされる千年の寺

ヒマラヤの古寺に彫られたレリーフに見入る我にも「センエン」の声

ひとこぶの牛行き交えば霧動き水汲む女の笑顔現る

菩提樹に傾くビシュヌに額つけ老は祈りぬ朝もやの中

からからに乾いた土を砕いては穴掘り苗を植える山人

朝まだき素焼きの火種を絶やさぬよう口を細めて女の吹けり

チベットの難民の娘ら機を織り共産主義の悪口続ける

インド

座る老歩く男も哲学者インドの民と目を合わすとき

天井にしがみついた学生がこぶしで叩きバス出発す

夜八時停電すればうれしくてライト取り出し日記に記す

左手でチャパティつまむ旅行者を黒き瞳がじっと見ている

ドンゴロスで痩せた体をくるむ子が焚き火の木片つま先で蹴る

野ざらしの牛の死体を犬が食うタージマハルの西門の外

ナンを焼く娘少しはにかんで乾いた牛糞かまどに入れたり

牛糞を担ぐ少女のその後ろ菜の花畑に孔雀舞い降る

牛が鳴きためらいながら霧が晴れデカン高原菜の花の咲く

朝霧のわずかばかりの水分を草の葉吸い込む乾いた大地

リキシャーは皺を深くし白人が指差す方にペダル踏みこむ

木の棒で球打ち駆けるクリケットの裸足の子らが夕陽に溶ける

泥色のガンジス川も朱に染まり「人生」「宇宙」を僧侶となえる

死ぬという大事を控え老人は笑み漏らしつつシヴァに手合す

バラックの家より出でし土色の子がしがみつく若き乳房よ

ブラウスの紅い刺繡の花びらを光らせ少女は牛糞運ぶ

象に乗る白人客の手をとりて「サー」と礼する男深々

沐浴の修行僧《サドゥー》ひげより水落とし夕陽に向かい経唱えたり

男根に模した石柱に手を合わす老婆は額に紅いティカつけ

死体焼く煙にかすむガンジスの対岸の村赤子生まれる

闇の中街を流れる雨水がガンジス川に骨を流しぬ

ここで生《あ》れここで死ぬのか夕映えのデリーのスラムに泣き声響く

女印だけが光沢帯びる仏像が博物館の中央に座す

百ドルを騙されしことが思い出となるに十年　インドは深い

跋文

自転車から見るアジア

栗木 京子

大胆な歌集である。全篇が旅の歌。中国各地、台湾、韓国、インドネシア、ベトナム、タイ、ミャンマー、ネパール、インドというアジアの国々が舞台になっている。しかも、いわゆる観光スポットと言われる場所ではなく、かなりの秘境にまで足を運んでいる。さらに特徴的なのは、入国後の移動手段が自転車であること。二十回にも及ぶこの海外サイクリングはほとんどが単独行であることも、驚異的に思われる。

自転車を組み立てる手が震えだす出発前夜の華僑の旅館

川あれば担いで渡るモンゴルのサイクリングに羊続きぬ

「友好」の襷をかければウイグルの青き瞳が我を見つめる

西域の乾いた町から出す便りにパンクの数と気温を記す

捻挫せし我が右足を守りたまえ　白いテープとバリの神々

物乞いの小さな少女力込めわが手わが脚自転車つかむ

行き先の「平安神宮」そのままのバスがわが肩かすり追い越す

少年の追う三百のヤギの群れがわが自転車の行く手を阻む

サイクリングならではの旅の体験と言えよう。一首目は巻頭歌。旅支度の一番の醍醐味は自転車の組み立てである。一心同体の相棒としての自転車への熱い思いが伝わってくる。二首目以降も、自転車の旅の実感が具体的で歯切れよい文体によって抒べられている。四首目は日本の家族に宛てた便りであろうか。パンクの数を記したところに独自性があり、加えて「気温」も書きとめたことに注目した。列車や自動車の旅に比べて、サイクリングは空気と直《じか》に触れ合いながら移動する。気温への感受性が研ぎ澄まされるのだ。

生身で自然と向き合う旅は豊かであるが、そのぶん危険を伴う旅とも言えるであろう。五首目の捻挫の歌は、その意味では（大げさではなく）命にかかわる大ピンチ。しかし作者は、そうしたアクシデントにも慣れているに違いない。足に白いテープを巻き、神々に祈りながらインドネシアの町を走る姿はどこかユーモラスで、余裕たっぷりに思われる。また、七首目のような発見もある。ベトナムでの歌だが、日本で使われていたバスがそのまま町を運行しているのである。京都から運んだバスなのだろう。異国で見る「平安神宮」の表示がまことに新鮮で、「わが肩かすり追い越す」のヒヤリとする遭遇とともに、場面の躍動感を伝えてやまない。

赤土の蕎麦の畑のあらわれて漢族の住む村はすぐそこ
長江に沿って走れば回族が白き帽子で我に手を振る
菜の花が天まで届く峠道額の塩をなめて休まん

こうした歌にもサイクリングをしているときの風景の流れが如実に描かれている。水平方向の流れ、そして垂直方向にも広がる空間の大きさ。徒歩よりも速く、自動車よりもゆっくりとした絶妙な空間と時間の推移によって、世界が捉え直されていることがわかる。
　このような自然界との一体感は、訪れた国々の歴史や人々との触れ合いとも密接につながってゆく。

警察の姿を気にせず道渡る老婆は文革も生き抜いてきた
円卓に迎えてくれた李さんは国民学校の思い出語る
日本人だから嫌いだから好き激しい語気にわれ身構える
雨風と李朝、日本に耐えてきた済州島の低い住宅

台湾で李さんと交流した二首目は和やかな雰囲気に包まれているが、アジア諸国には日本に反感を持ち続けているところも少なくない。韓国で詠まれた三首目は「だから嫌い」「だから好き」の間で揺れ動く相手の前で、緊張を強いられる。世代や境遇によって日本への好き嫌いは変わるので、単純ではない。四首目は済州島の人々が自然環境のみならず、その時々の権力にいかに抑圧されてきたかに思いを馳せており、歳月を見渡す視線に奥行が感じられる。

一方で、アジアの国々の現在というものも的確に捉えられている。

ビニールも瓦も石も埋め込んで道路工事が真夜まで続く

マンションの守衛はコートの襟たてて小皇帝の登校見守る

割高の日本製品が良く売れる旧居留地の夜半のコンビニ

一首目は中国東北部での歌。建築基準や騒音対策などを無視した工事の様子は中国の勢いを示すとともに、危うさに満ちている。二首目は上海での歌。一人っ子政策によって「小皇帝」と称して宝物のように扱われる子供の姿が目に浮かぶ。三首目も中国での歌だが、こうした日本製品への信頼を誇らしく思う反面で、日中の経済事情のことにも思いが及んでしまう。たんたんと事実のみを詠んでいながら、作者の犀利な問題意識を読み取ることのできる作品群である。
ただし、作者の眼差しは鋭いのみではない。本歌集に登場する人々はほとんどが働く人々であることがほのぼのとしている。老若男女を問わず、役目を担って労働する人たちは輝いて見えるからである。

豆腐売る男のあとに豆腐売る女の声する古街の朝《あした》
タクラマカン沙漠に浮いた塩分を集め担ぎぬウイグルの子ら
一坪の畑に老婆が種を蒔く村を見下ろす山上の畑
ナンを焼く娘少しはにかんで乾いた牛糞かまどに入れたり

声や匂いまで読者に届く歌の数々。それだけ近い場所から作者が対象を見つめている証である。詳細に観察していながら、けっして窮屈になっていない。それは、作者の心身の包容力の豊かさ、すなわち心身の健やかさに負うところが大きいのではなかろうか。巻末の「旅の終わりに」で、作者は「体育会系の海外単独サイクリングと抒情や叙景の短歌は合わないと言われますが」と記しているが、私は声を大にして「そんなことはありません」と申し上げたい。体育会系歌人の詠む抒情や叙景の歌は、じつにすばらしい。本歌集がそのことをくっきりと証明している。

今回はいさぎよく旅の歌のみで全篇がまとめられているが、職場の歌や家族の歌にも独特の切り口を見せる作者である。さらなる歌境の深化と発展を期待している。

旅の終わりに

最後の海外サイクリングのあと、私は次のような文章を書いています。

台湾南部の山中には少数民族のパイワン族が暮らしている。

二十年前、寿峠を下ったところで雨宿りをさせてもらった。その家の初老の婦人を、村の人は「キヨコさん」とか「キヨコちゃん」と呼んでいた。日本領時代の名前だ。戦後台湾は国民党政権となり中国語が共通語になったが、少数民族の間では日本語が長く使われたという。

私はキヨコさんに日本時代のことや戦後訪れた京都観光のことを興味深く聞いた。キヨコさんは特に国民学校での日本人教師や友達との楽しい思い出を昨日のことのように話してくれた。

それから二十年。もう一度その村を訪れた。事前に手紙を出していたが、返事がなかった。そもそもキヨコさんが健在なのかも知らなかったが、ともかくこれを逃すとチャンスは二度とないと思い、二十年前と同じように自転車で訪れた。

するとどうでしょう。孫娘を都会から呼び寄せて私を待っていてくれたのだ。「日本人はきれい好きだから、こんなところを見られて恥ずかしい」と言いながら、昼食をごちそうしてくれ、おまけに息子を隣村から呼び寄せ、その息子の車でパイワン族の村々を案内してくれた。その間、孫娘は流暢な英語で日本の戦争責任を私に問う。一方、寡黙な息子は運転に専念する。キヨコさんは以前と同じように日本時代の思い出を懐かしそうに語る。私は、南国の山中で三人と時間を共有できることが楽しかった。そして、こうしたことがあるから旅はやめられないと思うのだった。


同郷の冒険家植村直己さんにあこがれていましたが、病気やけがによる肥満で、つまらない青春を過ごしました。健康を取り戻し、一九八八年に始めた海外サイクリングは二十回挑戦しました。そのほとんどは単独で、アジアを舞台にしてきました。自転車のゆっくりとしたスピードで、現地の人と会話し交流を深めた旅でした。また、この間、短歌を詠むようになりました。発展目ざましいアジアに生きる人々の営みや、日本との歴史的関係、そして圧倒的な自然を詠ってきました。体育会系の海外単独サイクリングと抒情や叙景の短歌は合わないと言われますが、私の身体と心はサイクリングと短歌の両方を欲しているのでした。今となっては、それを許してくれた家族と職場に感謝するのみです。

なお、所属する「塔」の選者栗木京子先生に跋と帯をお願いし、出版に際し青磁社の永田淳様にお手数をおかけしました。また、地元の北極星短歌会、弘道短歌会の皆さんに励まされ歌作を続けることができました。心よりお礼申し上げます。

二〇二〇年二月二十六日

澁谷　義人

歌集　アジア放浪
塔21世紀叢書第355篇

初版発行日　二〇二〇年三月二十六日
著　者　澁谷義人
兵庫県豊岡市日高町観音寺八三〇－一（〒六六九－五三五四）
定　価　二五〇〇円
発行者　永田　淳
発行所　青磁社
京都市北区上賀茂豊田町四〇－一（〒六〇三－八〇四五）
電話　〇七五－七〇五－二八三八
振替　〇〇九四〇－二－一二四二二四
http://www3.osk.3web.ne.jp/~seijisya/
装　幀　花山周子
カバー・本文写真　著者
印刷・製本　創栄図書印刷

ISBN978-4-86198-457-0 C0092 ¥2500E